本故事純屬虛構，與實際的人物、
團體、事件均無關係

11
約束
黑貓
BLACK CAT
矢吹健太朗
YABUKI KENTARO

characters
黑貓
BLACK CAT
伊芙
史恩・波爾菲德
琳斯雷特・沃克
水無月　沙耶
托雷・哈特涅特

時間的守護者
No. I
賽菲利亞
No. II
貝爾傑
No. IV
克蘭茲
No. VII
傑諾斯
No. VIII
巴魯多爾
No. X
夏歐利
庫利得・迪斯肯斯
提亞悠博士
夏登
恭子

stories

曾經是暗殺過許多要人、以「不吉利」的象徵君臨於黑暗世界的傳說暗殺者──托雷・哈特涅特、通稱爲黑貓，此人背叛組織，原本早該被處死……

兩年後，托雷以野貓的自由身分，跟影伴史恩一起成爲以獎金維生的獎金獵人。然而，卻遭到克羅諾斯時代、以殺死對托雷影響甚深的水無月沙耶之男性追殺。

某天，打算消滅克羅諾斯而發動「革命」的庫利得，突然出現在他的面前。他與拒絕此事的托雷展開了一場激烈戰鬥，仍無法解決……

克羅諾斯僱用小偷仲介人琳斯雷特，找到了星之使者的大本營，於是派遣突襲暗殺部隊「賽伯拉斯」前往。托雷雖然也現身，但是他卻帶著琳斯離開現場。庫利得看見托雷逃走之後失去理智開始向賽伯拉斯發動攻擊，經過一場激戰之後他失去左手。想把托雷納爲己有的庫利得，企圖幹掉他的影伴史恩。就在他要利用高科技「LUCIFER」射向攻擊他的時候，托雷出面相救，代替史恩吃了那顆子彈。後來，突然的劇烈疼痛朝托雷襲來，他的身體開始變小。爲了設法讓托雷的身體復原，史恩接受琳斯所提供的情報。能將托雷復原的那個人，就是之前在軍火商托魯涅歐的底下做事、製造出伊芙的提亞悠博士！

黑貓 BLACK CAT

11 約定

CONTENTS

No．IV
克蘭玆
IV
NO．VIII
巴魯多爾
第九十四話
黑大人的主張

可惡，又不見了！
在哪裡？
他們應該還沒有走遠。
快去找——！
タタタ…
……
ゴト…
原來如此。
克羅諾斯知道你們在這城市，所以派人來抓殺你們……
這裡好擠…
是啊♡
因為我跟夏登先生住在不同的房間，所以比較慢逃出來——

不過我昨天在街上逛了一整天，要是他們沒發現那才奇怪呢…
嗚…
那妳要加油囉，希望能逃的掉。
你要去哪裡啊？
當然是回飯店啊，這件事又跟我無關。
恭子我也要去！
妳快點躲起來吧！
呃—可是我一個人待在這裡，那不是很無聊嗎？
妳應該清楚目前的處境。
如今妳要是敢在這附近走來走去，一定會被發現的吧？
……

沒關係！
看到誰就教訓他，這樣就行啦！♡
ドキュン
霹唏！
什麼？
找到了——！
嘖！

嗚喔！
我就說吧！
包在我身上！♡
！

嗚喔喔！
ゴゴゴ
!?
ゴゴゴ
怎麼了？
……!!
パラ
パラ

哇…哇哇…
啊——啊，没有打中。
我最不會瞄準射擊了！
那我再試一次…
すぅーッ
嗚！
！

……怎麼了嗎？
我看算了。
妳想用那一招讓他們燒的體無完膚嗎？
……？
有什麼關係，反正他們是敵人啊。
一火大就亂殺人，還不是我的主張……！

タタタ...
！
嘿嘿…終於追到妳了，小姑娘…！
準備受死吧！

!!?
カラ
カラ

你們也真是的。
明明就沒什麼本事，卻拿著槍在大街上跑來跑去的！
怎…怎麼回事？
剛才…那小鬼開槍了嗎…？
……我……
ゴゴゴ
給你們5秒鐘。

快從這裡給我消失！
這……這個小鬼是誰？
他…他不是普通的小鬼……！

可……
可惡！
儘管外表這樣，我的眼神還是有效。
一火大就亂殺人，這不是我的主張。
黑大人的主張——

ザワ
ザワ…
…可是，雖然是不得已，卻跟克羅諾斯槓上了…
這下子事情可就大條了。
喂，我看妳還是先跟那個絲絨帽聯絡一下吧…
怎麼了？
…我明白了，黑大人…！
啊？
以後我的原則就是「雖然火大還是不會亂殺人」！
キャーッ♥
就算很生氣也要忍耐下去，我會當個好孩子的！

好耶！
……
真是極端的傢伙。
嗚……
嗚啊啊啊！
啊……
唧唏
唧唏

……
你現在願意說了嗎？
嗚…你…是說最長老…
人在哪裡…嗎？
沒錯……克羅諾斯的最高指導者「最長老」…
你既然是成員之一，應該就會知道…
我不知道…
我們是最基層的人，關於最長老的一切情報完全一無所悉…
連長得什麼樣子都不清楚！

真…真正了解的其實只有少數幹部…
對…對了，
賽菲利亞小姐她應該…
原來如此…
賽菲利亞‧亞克斯……
被她給逃掉了？
喂喂…你們事先行動到最後的報告卻是這樣？

實…實在是非常抱歉。
被一個奇怪的小孩子壞了大事……
啊？
小孩？
那…那是……
巴魯多爾先生，可能是我看錯了，
那個孩子，
胸前有個「XIII」的刺青……
噗…
那倒是很有趣…
再說詳細點。

◎封面的插畫原稿

這次封面的插畫，是我很早之前畫的。
以往我都是不久就會將它扔掉，
可是它卻還留在我手邊，
於是我就將它登出來讓大家看看。

第九十五話 夏登的決心

陣痛
陣痛
……
黑先生你怎麼啦？
沒什麼，
妳快點跟夏登先生聯絡啊。
知道了♡

……
プラ
プラ
要是以前的身體，六槍快速擊發算什麼。
小孩子的身體還是太弱了——
嗶
嗶
嘟嚕嚕！
嘟嚕嚕嚕！
BAR
LAMBIANCE
UB
嘟嚕嚕嚕！
嗶！
…喂喂！
夏登先生，我是燕子！♡

！
妳沒事吧，恭子小姐？
是啊♡
夏登先生那你呢？
是啊…我這邊也沒什麼事。
我正想打電話跟妳聯絡呢。
嗚呵呵，夏登先生你聽我說喔！
恭子剛才又被黑先生救了一次！
！

被黑貓救了…？
……
那妳現在跟他在一起嗎？
是啊，嘿嘿嘿嘿！♡
……
原來……這樣倒是省去我找他的時間了…
接下來，
…麻煩妳請他聽一下好嗎？
既然妳聯絡上他了，那我可以走了吧？
啊！等一下，黑大人。

夏登先生他……
有事要對你說！
什麼？
嗨，是我。
？
你又是誰啊？
啊？我當然是托雷啊！
黑貓…？可是聲音聽起來好像年紀很小的樣子…
！

原來如此，
因為毫微機器讓你變成了小孩子…
就是這麼回事，都是庫利得那個大混帳害的。
不過變成小孩子也是挺好玩的，我倒是無所謂啦。
陣痛 陣痛
是這樣子嗎？
對了…找我有什麼事？
…其實，
我有件事想拜託你呢…黑貓。

HOTEL
喂，史恩。
キュピーン
我在服飾店買了這套衣服回來。
嗯…？
カタ
カタ
……如何？
抱歉，伊芙。我正在查東西。
カタ
カタ
等我一下。
喀噠
……
喀嚓！

喔，托雷，你總算回來啦…
!?
嗨！
你們好——♡
喂…她怎麼來了…？
哎—
一言難盡啊，反正我就是把她帶來了。
ガタッ
反…反正…？

コッ
コッ
……
再見了……
チャ…
恭子小姐。

是夏登拜託你的？
是啊。
簡而言之呢，
我打算離開這裡，繼續與克羅諾斯之間的戰鬥。
不過，恭子小姐她已經不是星之使者的人了，況且她原本對克羅諾斯就沒有敵意。
只要對方不出手，她應該是不會還擊的。

可是，時間的守護者應該還是想除掉恭子小姐。
所以，黑貓…
我希望你跟對方交涉，今後不要再危害恭子小姐了。
雖然我知道這個要求有點過分，
不過這種事我也只能拜託你了……
所以……你就同意了？
哈哈哈…
是啊。

她雖然總是想做什麼就做什麼……
不過應該還有得救。
我想應該已經有幾位守護者來到這裡了，我會試著跟他們談一談。
！
守護者？
要面對星之使者，總不可能只派小嘍囉來吧。
……

總之…如果他們能夠聽得進去，那當然最好。
這牌子的衣服我全部都有呢～不過最近都沒有回日本，所以沒機會買它的新款衣服～
……喔…
HOTEL
這裡是吧？
ジャリ…

我去街上繞了一圈，有幾個人看到那個女孩帶著一個小鬼走進這家飯店。
HOTEL
原來如此…她換地方住，打算藏起來囉？
ザッ
那女孩當然是要除掉…
不過那個孩子要怎麼處理？巴魯多爾。
就是那個有XIII刺青還攜帶裝飾槍的小鬼嗎……
在我親眼確認之前，我無法知道他是誰，
不過有件事倒是非常清楚。
プク…

那小子想找我們克羅諾斯的碴……
砰！
叩哄！
叩哄！
就會是我們的敵人！

ォォォォ…
同一時刻．史托克城西北「里德雷斯飯店」
是的，這位小姐目前的確還投宿在本飯店。
是嗎♡那就謝謝你了咩♪
我要上去囉～～～琳斯。
ムフフ～～ン
了咩？

黑貓 BLACK CAT

profile

林・夏歐利

Data	
生日	?
年齡	?
血型	0型
身高	168公分
體重	57公斤
武裝	SEIREN(未登場)
備考	接替兩年前遭到庫利得所殺害的No. X亞許，而成爲守護者。 精通快速變裝術，有個綽號叫“魔術師”，除此之外的資料都還是謎。

第九十六話　客房服務鐵球

喔！
1004
找到了！我實在太厲害！
提亞悠・魯娜提克・93年到97年在歐奇斯福特大學就讀！
如今要查出她在哪裡，如果連臉孔都不知道那就甭提了——
呃——照片照片……照片的檔案在……
這個吧！
嗶！
唧——
請稍待片刻……

嗶！
這個……
這就是…
提亞悠博士……？
伊芙……
叩！叩！
—客房服務

喀嚓！
我又沒叫東西…
……？
ガバさっ
!!?
嗨！

第九十六話

客房服務鐵球

……
傑…
傑諾斯…
哼哼！
キュピーン
我們又見面了，琳斯。
很好！我的出場實在太完美了！
琳斯一定會對這突然的重逢感激萬分的！
你還活著啊—
ムフフン
這下賺到了……
你…還活著…

既然還活著，為什麼不跟我聯絡啊！
ドンシャア
不愧是琳斯……！
瞬間就粉碎了我那天真的幻想……
ハーっハーっ

好痛…
……
……對不起。
我還有很多後續要處理。
！
原來…
貝魯迦他……

……
那樣才像是他的死法。
……對了，
還有一件事……！
我有重要的事要跟妳說。
ゴゴゴ
ゴゴゴ
HOTEL

ドサッ
ギョッ
…我們要去樓上狂歡一下。
咕嚓
這些就當作修理費吧。
……啊？

Let's
餅乾時間！
BALANCE
……
嘿嘿嘿！
我為了怕肚子餓，隨時都會把餅乾帶在身邊。
ゴソ
ゴソ
來，伊芙這個給妳！
…謝謝妳。
たくあんスナック
Pochi

黑先生跟鬍子老頭要吃嗎？
鬍子老頭⋯
有洋芋片就拿來吧！
好的！當然有囉──！
⋯⋯
史恩跟托雷究竟打算怎麼辦？
這傢伙是個殺人犯，
很多人都死在她的手下⋯⋯

殺了他……！
可是…
我也好不到哪裡去…
對了，接下來該怎麼辦啊？托雷。
你要去找克羅諾斯的人嗎？
我們只要在這裡等，他們自然會找上門的。
什麼？
畢竟對方也在找我們啊，
所以我才會明目張膽的從街上走回來。
為的是讓他們容易發現。
…原來如此。

!!
!!
ゾクッ

？你們怎麼了嗎？
…喂！
這個感覺…
是啊，
這麼快就到啦。

!!
HOTEL
嗚喔！
ザワ
ザワ…
怎麼回事？
爆炸啦？

ヒュオオオ
啊……！
喔—
ジャラララ
パシィ

…哈！
我找到妳了，霧崎恭子小姐。

No.Ⅳ跟No.Ⅷ…!?
是啊。我想他們應該已經來到這裡了。
實力當然是沒話講，只不過個性上有點問題。
他們是怎樣的人？
「戰鬥狂」
如果不想被修理，暫時不要外出比較好。

……
哈！
…你就是那個有「XIII」的小鬼啊？
長得跟那個令人討厭的哈特涅特很像嘛…
你是誰？
……我就是本人！
嘖…竟然偏偏遇上你們啊，巴魯多爾…！

BLACK CAT 黑貓

profile

巴魯多利亞斯・S・分基尼
（巴魯多爾）

Data	
生日	9月8日
年齡	27歲
血型	B型
身高	182公分
體重	90公斤
武裝	地獄鐵球
喜歡的口香糖	咖啡口香糖
討厭的口香糖	薄荷系列的口香糖、無糖口香糖
備考	時間守護者No. VIII。是個自從出生就被克羅諾斯以戰鬥者的姿態培養長大的人。所以對克羅諾斯的忠誠度非常高，也因此很多事都會先斬後奏。

第九十七話 戰鬥主義

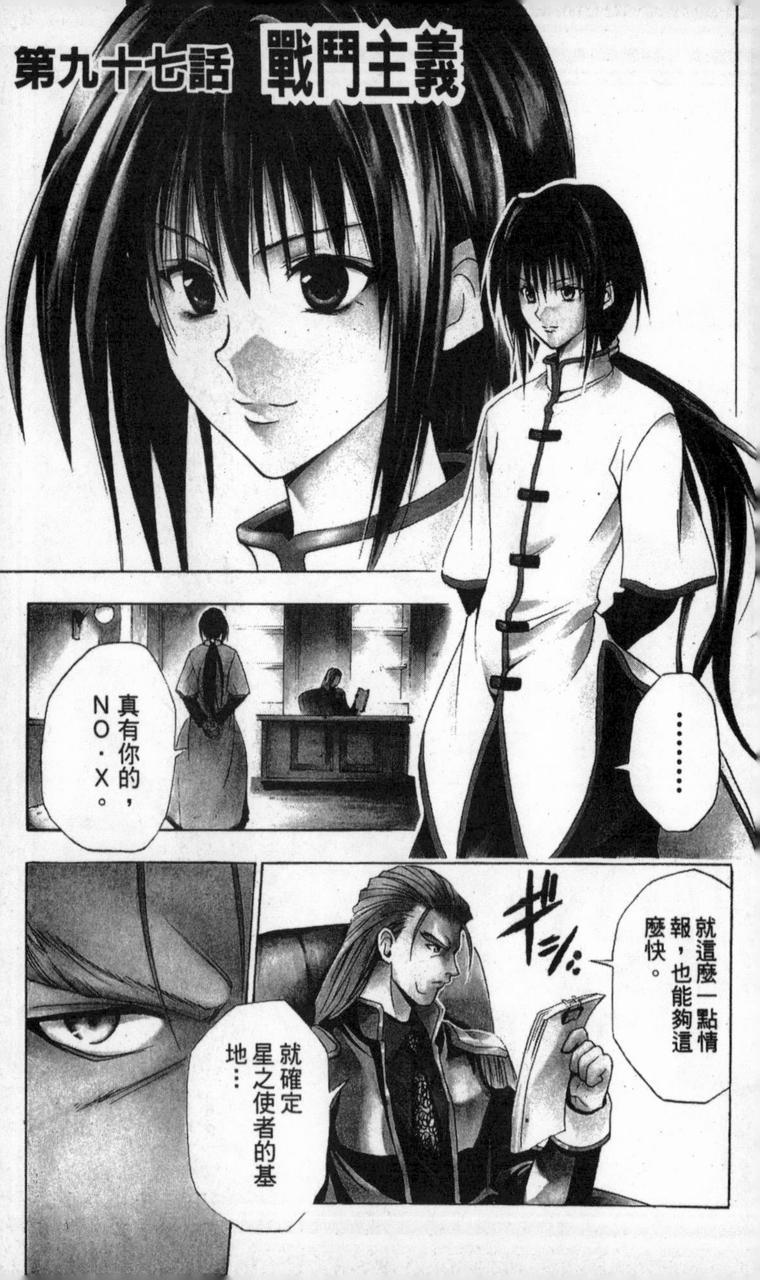
……
真有你的，NO．X。
就這麼一點情報，也能夠這麼快。
就確定星之使者的基地……

第九十七話　戰鬥主義

哎呀，
這沒什麼大不了的。
パサッ
哼…說的如此肯定，果然像是你的作風。
對了，貝爾傑先生。
我聽到一件讓我很在意的事……
什麼事？
就是關於在史托克城的星之使者那件事…
聽說已經指派NO・Ⅳ跟NO・Ⅷ前往了是吧？

…那不是我的指示。
是他們聽到情報之後，擅自行動的。
雖然我對他們不是非常了解，
他們好像很激進是吧？
沒錯。
為了追殺敵人，
他們可以毫不在乎的將整座城市燒光。
HOTEL

ジリリリリリ…
ジリリリリリリリ
怎麼回事啊？
爆炸啦？
喂，有什麼好看的！
快滾！
你說你是本人……？
哈！
是啊。

你就是那個叛徒托雷·哈特涅特本人？
沒有錯。
……我不太懂。
雖然有點像，但是說自己是本人就有點……
算了，
我幹嘛考慮這麼多。

我管你們是誰，既然敢包庇星之使者，
那就只有「死・路・一條」！
ジャラ…
什麼？
!

喀
哄
ヒュッ
ズバビュッ

哇！
!!

啊——！我的餅乾！
太過分了！
……
哈！
メキッ

按！按！
那是什麼武器啊？
鐵球竟然附有推進器？
哈哈哈！
我就先收拾妳，霧崎恭子！
哼！

ガォォォォーオオ
喀咚！
！
我要打爆妳的頭！

ズガン…
三聲槍響……
「快擊三連發」……！
シュウウウウ
拉緊

……這小鬼
竟然同時發射三發子彈……
將我的「地獄鐵球」擊落……！

罣先生——♡
這種槍法…再加上裝飾槍…
…你…真的是……
我不是早說了嗎！
我就是托雷·哈特涅特本人啊…！
陣痛

BLACK CAT 黑貓 小常識

地獄鐵球

No. Ⅷ・巴魯多爾的武器。地獄鐵球是藉由4具推進器以及手邊的控制球，在空中自由飛翔而加以攻擊。不過想操作它需要高超的技術，如果讓巴魯多爾之外的人來操縱，那是相當困難的。

我不是早說了嗎！
我就是托雷・哈特涅特本人啊…！
第九十八話 約定
……

托雷……！
讓我從頭把事情說明一遍，
？
順便連恭子的事也提一提吧。
首先，希望他們能夠相信你就是真正的托雷。
史恩……
HOTE
我想應該是多餘的吧……

第九十八話　約定
穩山商店街
止まれ
唯一の
深い美術工芸品の店
洋工芸
日曜 休日の
4月~9月は
13 - 18
10月~3月は
13 - 17

…原來如此。
事情我們都清楚了。
連同哈特涅特的事情在內。
嗯？
簡而言之，這女孩已經不再是星之使者，對克羅諾斯也沒有敵意，
所以你要我們不要傷害她是吧？

沒錯。
殺死女人小孩，你們也不會覺得光榮吧？
所以呢──
說得也是…
你說的的確有道理。
ジャラ
……
！

我怎麼會這麼說呢…
!!?
雖然他變成小孩子的模樣…

叛徒哈特涅特再加上使用道術的小女生……
沒有比這個更值得去消滅的目標了。
我就說吧……
沒有用的，史恩。
！
啊……！
他們自從出生就是接受成為殺手的戰鬥教育。

一旦被當成敵人，
就一定要消滅他。
這就是他們無法改變的規矩。
你們倒是很清楚嘛。
…徹頭徹尾的戰鬥主義是嗎……
沒錯…你們如果想活命……

那就跟我們戰鬥！
而且只能贏不能輸！

!!
嗚喔！
地板都被打穿了！
バキ
バキ
糟糕！
大家快往外跳！

バッ
ガラ
ガラ…
喔喔，好可怕！
又爆炸了…
嗯？
喔喔？
唰！
有位大叔從天而降了？
是個大叔耶！

ドサッ
哇啊！
你没事吧？
……
妳為什麼要故意踩在我身上著地啊！
因為人家想待在黑先生的身邊嘛。
…搞什麼飛機啊？

我看……
在這裡應該就可以大幹一場了吧……！
難道那傢伙…
想要在這種地方使用那種武器嗎…？
……!!

……
…喂，黑先生。
ザワ
ザワ
嗯？
他們好像很火大，
從剛才就一直對我們很不客氣。

妳……還記得之前答應我的事吧！
呃？
「絕對不隨便殺人」
「就算生氣也要忍耐」妳還記得吧？
啊！是啊！我當然還記得。
你們現在在搞什麼？
那個約定…
妳真的會遵守嗎？

如果妳在這裡跟他們起了衝突，
我們就不管妳了。
！
因為我沒有理由去幫助不遵守約定的人。
…黑先生…
……不過…

如果不管他們怎麼做而妳雖然很火大…
…卻都能夠忍耐的話，
チャ…
ォォォォ
我一定會保護妳的。
而且是盡全力！

BLACK CAT 黑貓

profile

克蘭茲・馬多克

Data	
生日	1月4日
年齡	26歲
血型	AB型
身高	190公分
體重	102公斤
武裝	戰神
喜歡的地方	安靜的房間
討厭的地方	吵雜的街上
備考	No. ＩＶ。跟巴魯多爾一樣，從出生就被以守護者的姿態施以戰鬥教育。雖然在幾年前的戰鬥當中失去了視力，但是深信唯有戰鬥才能證明自己存在的他，開發出藉由感受“聲音”與“空氣”的戰術。

第九十九話 獎金獵人的戰鬥

托雷……
妳怎麼做？
妳願意……發誓遵守諾言嗎？
我……
我……我發誓！絕對遵守！
……我相信妳。

第九十九話
獎金獵人的戰鬥

史恩。
！
麻煩你來支援我。
……
……真拿你沒辦法。
呃？

ババッ
史恩……你打算加入嗎？
是啊，妳先退後吧。
……!!
史恩他現在有傷在身…
既然事已至此，
能夠躲我當然想要逃，
不過我不能因為逃走，而把街上搞的一團亂吧。
那就只好讓他們無法戰鬥了…！

哈！
ザッ
ザッ
你打算保護她嗎…
說的好像我們是大壞蛋似的。
就算如此，我覺得她比你們還有救。
就算她早就不再是星之使者，也不能抹滅她是世界級罪犯的事實。

哼，你從以前就是這樣…一點都沒改變。
ミシ…
就算是任務，也絕對不殺女人跟小孩…
你想的實在太天真啦!!!
!

嚓哄！
！

看我的！

啊！
ドクン

シャラッ
怎麼啦，哈特涅特？
你不是要保護那個臭丫頭嗎？
那就做給我看啊……哈！
喂，克蘭茲。
你不要老是站著看啊…

……
是炸彈嗎？
!!!
嘖！

哇啊！
啊——！
!?

ザザザザ
哼！
ズドン
他倒是做了一件挺有趣的事嘛…！
不過呢！那種便宜貨是傷不了海姆達爾的…
!!?

オオオオ
看不見了…？
小子，那炸彈的目的…
不是為了破壞武器，而是要封住它…！

喔喔喔喔！
别擔心，伊芙。

我是不打沒有勝算的仗的。
雖然情況對我們不利，
但是可藉由戰術運用創造出勝利契機。

不是要殺死對方，而是制服。
這才是獎金獵人的戰鬥方式……！
……壓制對方
！
黑先生！

巴魯多爾，所謂的同伴…
就是為了相互支援才存在的。
哈特涅特…！
オオオ…

第一百話 動搖的心

…………
太好了！
黑大人——！我還以為你完了呢……
！
ポタッ

流——
黑…黑大人你流血了…
嗯？
啊，只是擦傷。
沒什麼大不了的。
……可是……

!
オオオオォ
呸！
……你倒是挺有一套的嘛？
你叫做…史恩是吧？
力道不夠嗎…
如果不一口氣將他打昏是沒有意義的…！

嗨，克蘭茲。
說的也是。
你也該看夠了吧？
啪唏

!!
刀子……！
那是他的武器啊……！
巴魯多爾，哈特涅特就交由我來收拾吧。
什麼？

……他剛才也說過了。
所謂的的同伴就是為了相互支援才存在的。
我想要告訴他之前說的那句話，
對強者是沒有必要的。
喔……
真是有趣。
!!
啊……！

!!
喀哄
嘖!
障痛

鏘！
鏘！

ザザザ

嗶……
……!!
托雷……!
!?
!!

嗚喔！
你可別分心啊，史恩~~~！
你剛才打我臉的那筆帳，我還沒要回來呢……！
舔！

啪唭
真危險——
只差一公厘頸動脈就不保了。
肌肉跟體力都不夠發達……
看來小孩子的身體還真不方便呢，哈特涅特。

!
雖然腦子想要躲開，身體卻還是跟不上吧？
剛才是…之前對巴魯多爾的攻擊也是。
以那種身體，你是沒有勝算的。
……
……哼！
你憑什麼擅自決定。

哼！
……!!
ゴゴゴ…
他…
他竟然敢傷
害黑大人…
シュウウウウ…

！
不可以……
伊芙。
妳必須忍耐……！

可是…剛才黑大人他差點就被殺了啊？
托雷他們是為了保護妳而戰的…！
！
那是因為妳答應要遵守諾言的。
難道妳想反悔了嗎？
可是他……
要是黑大人被殺，那我……！

我不會讓他死的。

小常識

戰神

No. Ⅳ克蘭茲的武器。只要將戰神的開關按下，刀身就會產生超震動，銳利度也會急遽的提昇。就如克蘭茲所說的，「就算厚達3公分的鐵板在戰神面前，就像一張紙一樣」。

カチ
カチン
カチャッ
……
第百一話 長翅膀的子彈

你還想靠那身體硬撐嗎？
你錯了，
我是想打敗你。
ゴゴゴゴ
……
不像是虛張聲勢…就算不看他的臉也能感覺那股壓迫感！
看來他是真的想用那身軀來打敗我。
太有趣了！

タンッ
刺痛！
バッ

唰！
ザッ
!!

你那驚人的瞬間擊發多顆子彈的快速槍法，
已經對你的細小手腕造成不小的負擔了。
你要是再繼續逞強，
當心你那隻手可能會廢掉喔，哈特涅特…！
我早就告訴過你不要妄下結論。
哼！

IV
!!
ヒュオオ
バサ…
…你現在怎麼能死啊。

我還沒……
靠實力打敗托雷你呢。
啊？
……

ズアアアアッ
ヒュ
ヒュ
ヒュッ

卡卡卡
妳這自認聰明的…
小鬼！

!
克蘭茲！
伊芙這小鬼…
她的變身能力竟然進步這麼多…！
黑先生～!!
タタタ
你不要緊吧？
…妳不必擔心。

!!
哼，小公主她竟然出來插手。
ヨロ…
太好了！你沒有事！
クラ
！
ガクッ
黑…黑先生？
…我沒事，只是有點頭暈。

痛……
ザワ
ザワ…
抓！

パラ
…………

為什麼　我就必須忍氣吞聲　不可呢？
ポタッ
チリ
チリ
他對黑先生　做了如此　過分的事…

看到不順眼的人就想消滅他，
這是人類的本質。
我對他們　實在超不爽的！
妳可以盡量放開心胸。
…我要宰了他們！

ブォオオオ
!
!?
オオオ

嗚啊啊啊啊!
ダッ
!
呃?

BLACK CAT 黑貓 小常識

羽毛子彈

這次，伊芙終於獲得飛行道具了。不過，因為那不是用來「殺死」對手的武器，所以幾乎毫無威力。順便告訴大家，射出去的羽毛全都是毫微機器的殘骸所形成的。

第百二話 天使與惡魔

!!
妳根本沒有必要忍耐。
霧崎恭子。

妳大可用火把他們都燒光。
啪……
那些讓妳看不慣的傢伙……！
妳本身具有那樣的能力……
與資格…！
嘶！

!?
パタ
パタ
パタ
パタ
不可以喔——
妳不是說好不管如何生氣都要忍耐的嗎——

我已經跟黑先生一樣，
良心
「不管如何生氣，都不會隨便殺人。」了。
哼！
少囉唆！
悪
他敢對黑先生做出那麼過分的事情，那就殺了他啊！
可是黑先生他——
願意相信我啊——

我相信……
妳的承諾。
……
!?

轟！
！
…妳這是幹什麼？
妳阻止我的攻擊…
……
難道不是想殺了我嗎…？

……算了！
雖然我很生氣……不過我要忍耐！
！
……喔！
ヒュ!!

妳說妳要忍耐…？
…我不知道你們剛才約定了些什麼，
就算他被我殺了妳也不在乎嗎？
黑先生他…
一定會保護我的！

妳說對了！
!!

ドドッ
我就說吧♡
唰！
啪！
ダンッ

妳真的信守我們的承諾了，
這次我得達成跟妳的約定才行！

托……
糟糕…！托雷的手已經……
……沒有用的。
我可以藉由「聲音」與「空氣的流動」來感受對手所有的攻擊！

子彈
對我是起不了作用的！

喀！
!?

!?
霹唭
霹唏
這……
這個是…!
喔喔♡
…冷凍彈。

這下子，你拿手的振動刀⋯
已經被封住啦，克蘭茲⋯！
⋯⋯⋯
原來還有這一招啊？
這樣子他的戰力就大減了。

還剩下一個人……
雖然他的鐵球也很難應付，不過靠預知眼應該有辦法！
當時面對庫利得之所以無法發揮作用，是因為遭到出奇不意的攻擊而失去集中力。
如今應該能夠啟動才對……！
好啦好啦！戰鬥也該結束了——！
哈特涅特……！

!
…喂喂，你來幹什麼？
我可沒叫你出來插手。
ジャッ
嘿！
傑諾斯…！

天使恭子and惡魔恭子

住在恭子腦袋當中（？）
謎樣的妖精。

第百三話
恭子的待遇

琳斯……！
オオオオ…
沙！
另外那個男的……
是守護者嗎……！
!!
托雷……！

喂…你怎麼渾身是血啊！沒事吧？
嗯？
是啊，不過狀況不能算是很好…
嘿！那位小朋友是前XIII嗎？
你真的變成小孩子啦——我真是開了眼界！
你是誰？
我是守護者當中的貴公子。
我們不是在庫利得的城堡當中見過面嗎？

喔…是喬諾斯？
がびーん
是傑諾斯！
ジャラッ
！
你還不快讓開，傑諾斯…！
現在還輪不到你出面。

他們這些人原本就是要由我們來收拾的……！
很抱歉，事情恐怕不能如你所願了。
我跟你們不一樣，我是奉命來此的。
副隊長要我傳話給你們……
「請巴魯多爾跟克蘭茲兩位立刻歸隊」！

！
這是怎麼回事？
就是要你們停止擅自行動，打道回府。
ゴゴゴ…
這裡就由我來善後。
如果有意見的話，
我就代替那小鬼來對付你們。
…喔…

那正合我意……
其實我，
對於你那種嘻皮笑臉的態度就跟哈特涅特的天真一樣…
！
讓我看了就想吐!!!

!
…我可是先警告你…
ジャラッ
守護者之間的戰鬥是被嚴格禁止的…!
這種規定我當然知道!

破壞規定等於是背叛克羅諾斯…！
就算我多麼想收拾他們…！這一點我還是必須遵守…！
…要就此打住嗎…巴魯多爾…？
…好啊，到此為止吧。
哈特涅特…
下次我一定要找機會收拾他們。
一定要…！

オオオオ…
……
他們實在是鬧的有點過火了。
這裡可不是克羅諾斯的管轄範圍，
要跟警方交代可要大費周章了…真是的。
黑先生——！我可是真的遵守諾言了喔！
キャー♥
只是妳差一點就破戒了。
♪

…諾言?
讓我來說吧。
ザッ
看起來你這位守護者比較好溝通。
!
?

原來如此…
你是說哈特涅特希望我們不要傷害那位女孩……
是的。
雖然說的有點天真，
不過我倒是持贊成的意見。
……

……我明白了。
就讓我考慮一下吧。
！
真的嗎，賽菲姐？
哎呀……你讓我覺得很意外。
不過……我有個條件……
我要見見那位少女。
一切等看過再說……

隔天——
チチチ…
那麼…我跟傑諾斯帶她去見賽菲利亞。
喔，那就拜託妳了。
琳斯妳也要一塊去嗎？
是啊，把年輕女孩單獨交給他實在太危險了。
就各方面來說。
她還真不信任我——

呃——？黑先生你不跟我一塊去嗎？
哼！我可照顧不了那麼多。
むー
妳不要擔心，
賽菲利亞她不會欺負妳的。
如果有什麼事，就打電話通知我。
我一定會去救妳的。
你是說真的嗎！

……那好吧。
？
我也不想因為自己的緣故而讓黑先生受傷，
我會自己搞定的。

我跟你打包票——！
我一定會堅持不隨便殺人的原則。
我相信…
妳說的話！

ブォオオオン…
……
那女孩好像變了不少…
如果她再傳簡訊來，你就回電給人家吧？
嗯…如果我有時間的話。
對了…接下來要去哪裡？
陣痛

黑貓12待續

JC08911 C0P200

黑貓⑪

原名：BLACK CAT⑪約束

■作　　者　矢吹健太朗
■譯　　者　張益豐
■執行編輯　邱淑儀
■發 行 人　范萬楠
■發 行 所　東立出版社有限公司
■東立網址　http://www.tongli.com.tw
台北市承德路二段81號10樓
☎(02)25587277　FAX(02)25587281
■劃撥帳號　1085042-7（東立出版社有限公司）
■劃撥專線　(02)28100720
■印　　刷　嘉良印刷實業股份有限公司
■裝　　訂　台興印刷裝訂股份有限公司
■法律顧問　曾森雄律師　曲麗華律師
■2003年2月10日第1刷發行

日本集英社正式授權台灣中文版

ISBN 986-11-1636-2　定價：NT80元